ANA REBER & FERNANDA FAJARDO

JOANA E MANECO

GERAÇÃO ZINHA

CB051409

COPYRIGHT @ 2013 ANA REBER E FERNANDA FAJARDO
1ª EDIÇÃO - JULHO DE 2013

GRAFIA ATUALIZADA SEGUNDO O ACORDO ORTOGRÁFICO DA LÍNGUA
PORTUGUESA DE 1990, QUE ENTROU EM VIGOR NO BRASIL 2009.

EDITOR E PUBLISHER
LUIZ FERNANDO EMEDIATO

DIRETORA EDITORIAL
FERNANDA EMEDIATO

EDITOR
PAULO SCHMIDT

PRODUTORA EDITORIAL E GRÁFICA
ERIKA NEVES

ILUSTRAÇÕES E DIAGRAMAÇÃO
FERNANDA FAJARDO

FINALIZAÇÃO
MEGAARTE DESIGN

REVISÃO
TILSO DUCHAMP

DADOS INTERNACIONAIS DE CATALOGAÇÃO NA PUBLICAÇÃO (CIP)
(CÂMARA BRASILEIRA DO LIVRO, SP, BRASIL)

REBER, ANA
    MANECO E JOANA / ANA REBER E FERNANDA FAJARDO. -- 1. ED. --
SÃO PAULO : JARDIM DOS LIVROS, 2013.

    ISBN 978-85-63420-42-8

    1. LITERATURA INFANTOJUVENIL I. FAJARDO, FERNANDA.
II. TÍTULO.

13-04891   CDD-028.5

            ÍNDICE PARA CATÁLOGO SISTEMÁTICO

            1. LITERATURA INFANTIL   028.5
            2. LITERATURA INFANTOJUVENIL   028.5

EMEDIATO EDITORES LTDA.
RUA MAJOR QUEDINHO, 111 - 20º ANDAR
CEP: 01050-904 - SÃO PAULO - SP

DEPARTAMENTO EDITORIAL E COMERCIAL
RUA GOMES FREIRE, 225 - LAPA
CEP: 05075-010 - SÃO PAULO - SP
TELEFAX: (+ 55 11) 3256-4444
E-MAIL: JARDIMDOSLIVROS@GERACAOEDITORIAL.COM.BR
WWW.GERACAOEDITORIAL.COM.BR
TWITTER: @JARDIMDOSLIVROS

2013
IMPRESSO NO BRASIL
PRINTED IN BRAZIL

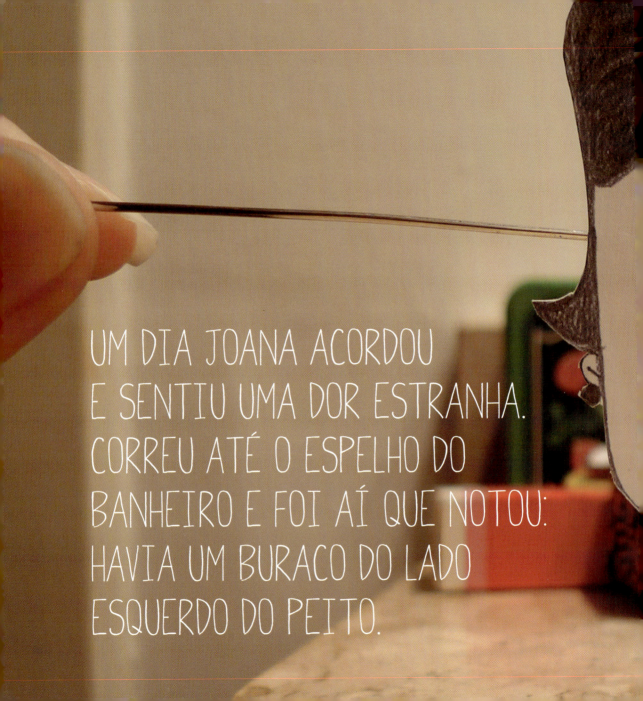

UM DIA JOANA ACORDOU
E SENTIU UMA DOR ESTRANHA.
CORREU ATÉ O ESPELHO DO
BANHEIRO E FOI AÍ QUE NOTOU:
HAVIA UM BURACO DO LADO
ESQUERDO DO PEITO.

UM BURACO DE UM TAMANHO RAZOÁVEL: MENOR DO QUE UMA LARANJA, MAIOR DO QUE UM LIMÃO. DAVA PARA VER ATRAVÉS DELE O AZULEJO CLARINHO DO BANHEIRO.

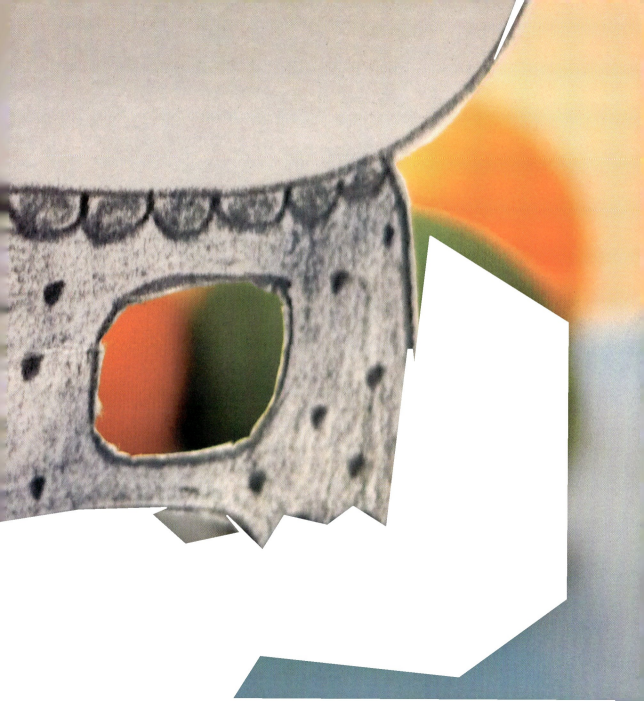

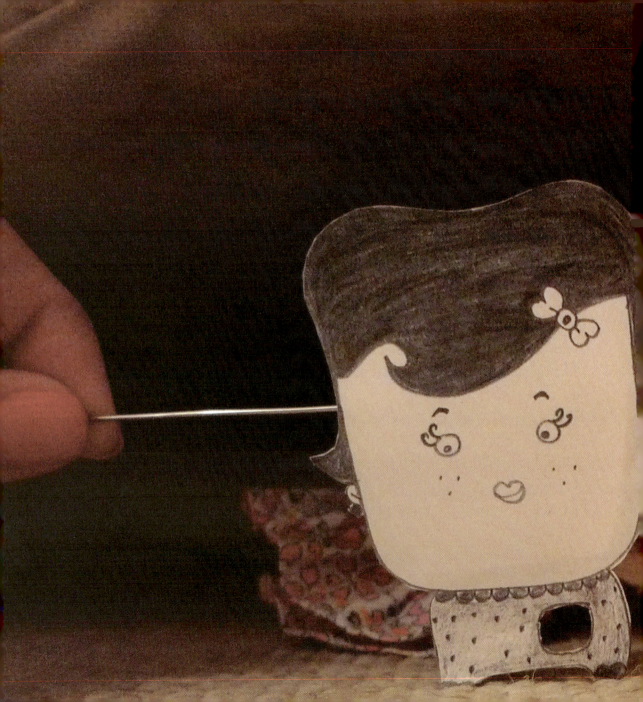

A MENINA ENTÃO SE PERGUNTOU: SERÁ QUE AQUELA PARTE FALTANDO HAVIA CAÍDO DEBAIXO DA CAMA? FOI PROCURAR, MAS NADA ENCONTROU. NO CHÃO DO QUARTO HAVIA APENAS UMA MEIA FURADA NO DEDÃO E UM VESTIDO DE BONECA.

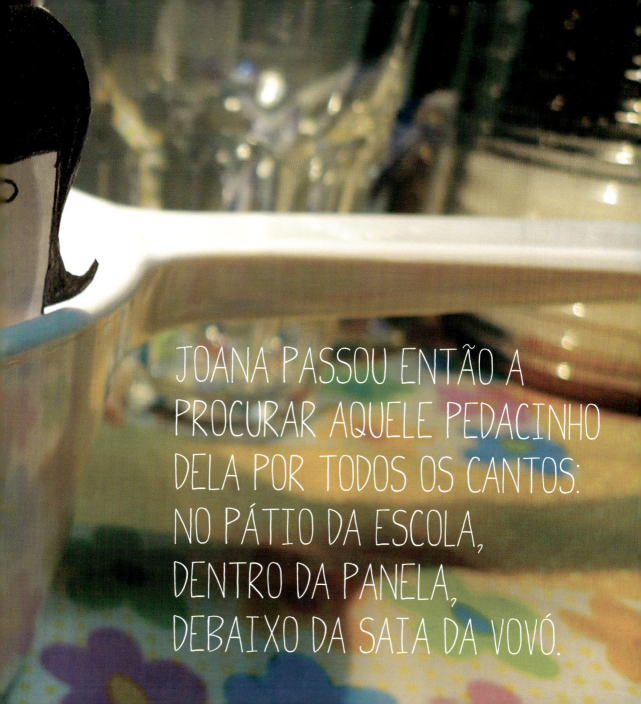

JOANA PASSOU ENTÃO A PROCURAR AQUELE PEDACINHO DELA POR TODOS OS CANTOS: NO PÁTIO DA ESCOLA, DENTRO DA PANELA, DEBAIXO DA SAIA DA VOVÓ.

O TEMPO PASSAVA E O BURACO NÃO AUMENTAVA, NEM DIMINUÍA DE TAMANHO. FICAVA ALI ESTAMPADO NO PEITO, DIA APÓS DIA.

SENTINDO MUITO FRIO NAS NOITES DE INVERNO, A MENINA ACHOU MELHOR TAMPAR O BURAQUINHO. PRIMEIRO PREENCHEU AQUELE VAZIO COM MASSA DE BOLO.

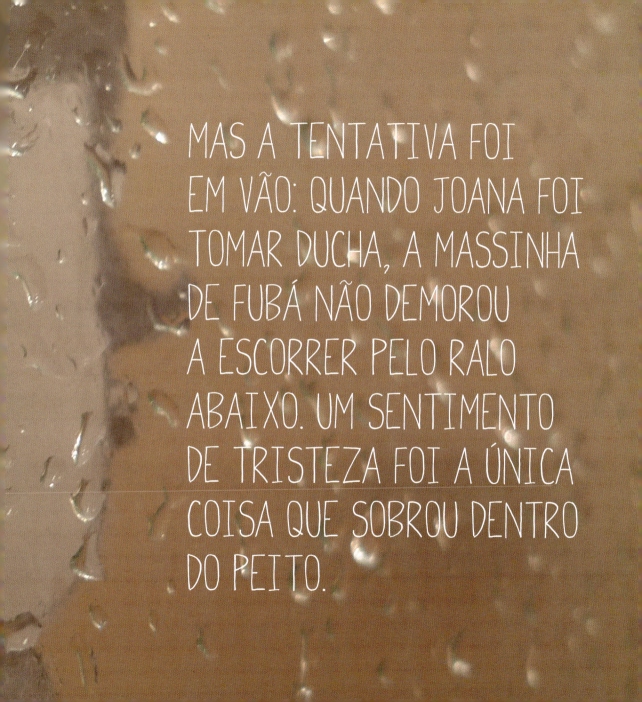

Mas a tentativa foi em vão: quando Joana foi tomar ducha, a massinha de fubá não demorou a escorrer pelo ralo abaixo. Um sentimento de tristeza foi a única coisa que sobrou dentro do peito.

JOANA PENSOU ENTÃO QUE ALGO MAIS CONSISTENTE PODERIA RESOLVER O SEU PROBLEMA: JUNTOU OS CHICLETES DOS COLEGUINHAS DA ESCOLA E FEZ UMA BOLA GIGANTE.

O resultado, porém, foi desastroso: assim que o sol saiu de trás da nuvem, o chiclete derreteu inteirinho e Joana ficou toda grudenta.

A menina estava agora mais carente do que nunca: ninguém queria abraçá-la, com medo de ficar melado.

QUANDO CHEGOU A HORA DO RECREIO, SENTOU-SE DEBAIXO DE UMA ÁRVORE NO PÁTIO DO COLÉGIO E CHOROU, CHOROU POR MUITO TEMPO.

AS LÁGRIMAS FIZERAM POÇAS DE ÁGUA DENTRO DO BURACO. MAS NEM AS SIMPLES GOTAS PARECIAM QUERER PREENCHER AQUELE VAZIO. E LOGO ESCORRIAM PELO VESTIDINHO, O QUE AUMENTAVA AINDA MAIS A SUA MELANCOLIA.

POR ALGUNS MOMENTOS, AQUILO ERA ATÉ DIVERTIDO. NO CARNAVAL, O BURAQUINHO ENCHIA-SE DE CONFETES E, NA PÁSCOA, A MAMÃE ESCONDIA ALGUNS OVINHOS DE CHOCOLATE LÁ DENTRO.

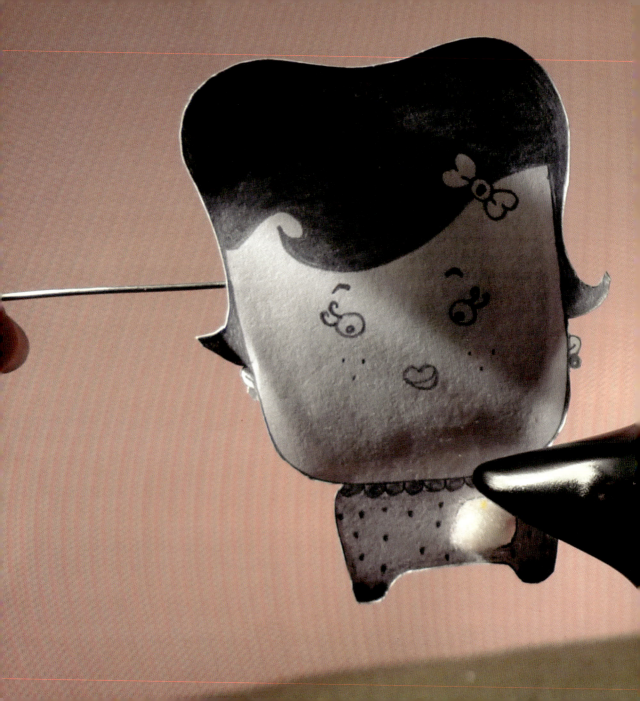

ÀS VEZES JOANA COLOCAVA MIGALHAS DE PÃO, QUE OS PASSARINHOS VINHAM BUSCAR FAZENDO CÓCEGAS. MESMO ASSIM, A SENSAÇÃO DE FRIO DO INVERNO ERA MAIOR DO QUE A RISADINHA, QUE DURAVA EXATAMENTE 7 SEGUNDOS E MEIO.

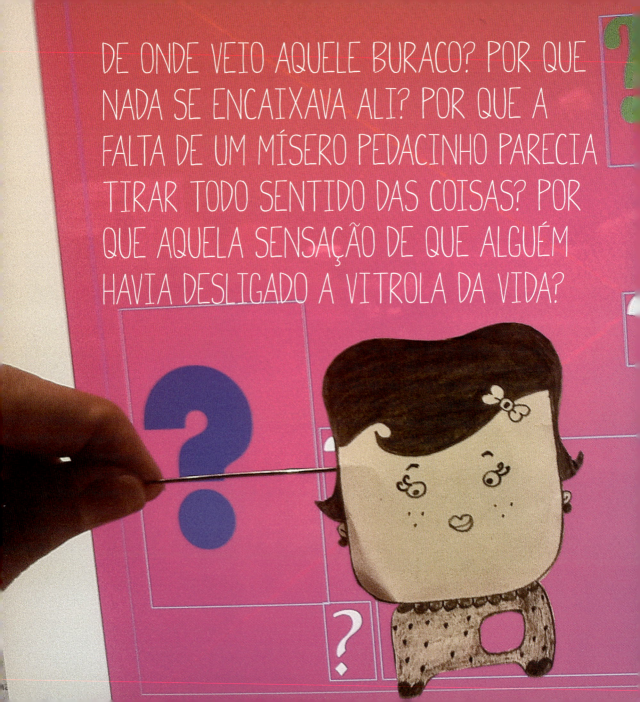

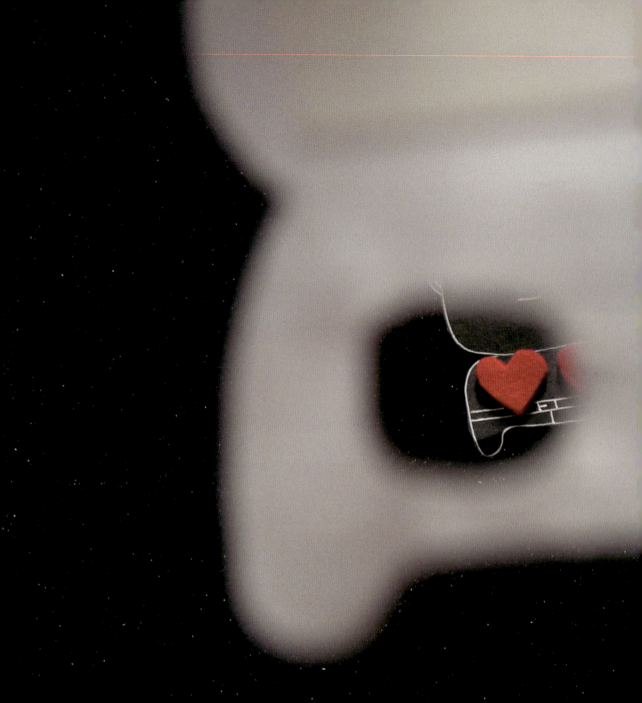

A RESPOSTA PARA TODAS ESSAS PERGUNTAS VEIO DE SUPETÃO, COMO UMA ILUMINAÇÃO, SEM A PARTE DE PENSAR. FOI A TROMBADA COM AQUELE GAROTINHO QUE MUDOU TUDO PARA SEMPRE. QUEM IRIA IMAGINAR QUE COM UM SIMPLES GESTO ELE PREENCHERIA SEU BURAQUINHO?

O ABRAÇO DO MENINO
COM DOIS CORAÇÕES
ERA TÃO GOSTOSO,
QUE OS DOIS NUNCA
MAIS SE SEPARARAM.

O ABRAÇO DA MENINA COM UM BURAQUINHO NO PEITO ERA TÃO GOSTOSO, QUE OS DOIS NUNCA MAIS SE SEPARARAM.

MANECO SAIU DO CONSULTÓRIO
SEM ESPERANÇA. E FOI AÍ QUE
DEU DE CARA COM A RESPOSTA
PARA TODAS AS SUAS PERGUNTAS.
O NOME DELA ERA JOANA E FOI
NESSE INSTANTE DO ESBARRÃO
QUE VIU TUDO MUDAR. QUEM IRIA
IMAGINAR QUE ELA TERIA ESPAÇO
PARA MAIS UM CORAÇÃO?

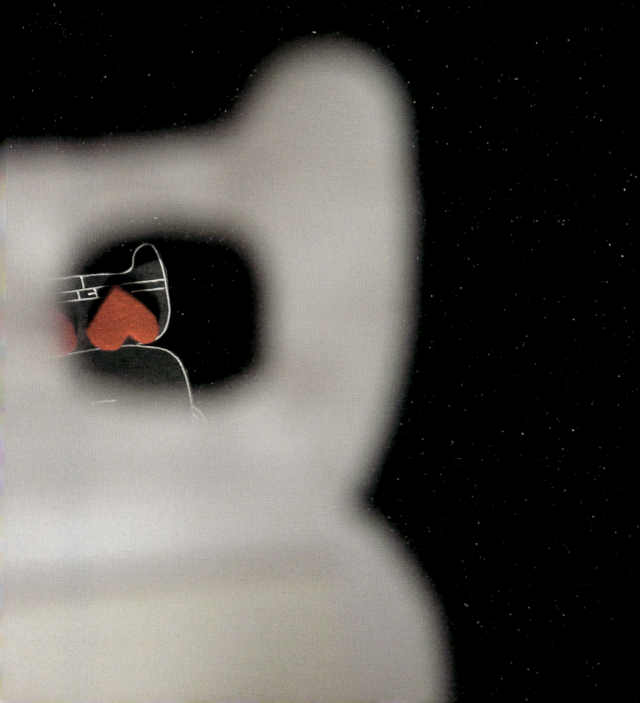

MANECO APROVEITOU A CONSULTA NO DOUTOR DO CORAÇÃO E FOI LOGO PERGUNTANDO: "POR QUE A GENTE NÃO PODE AMAR ALGUÉM QUE NÃO CONHECE? É VERDADE MESMO QUE O AMOR É UMA DOENÇA? TEM QUE TIRAR UM POUCO DO AMOR DO CORAÇÃO?" SEM SABER O QUE DIZER, O MÉDICO APENAS PRESCREVEU:

Repouso e nada de alegria.

LOGO TEVE QUE CONSULTAR UM CARDIOLOGISTA
QUE, PARA SUA INFELICIDADE MAIOR,
O PROIBIU DE COMER SALGADINHO E BOLACHA.
LOGO AS GULOSEIMAS QUE ELE MAIS GOSTAVA.

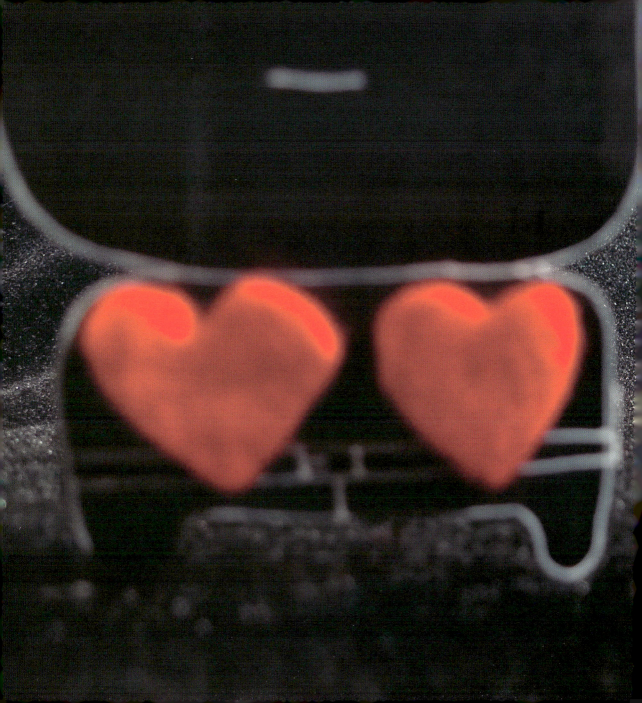

Como dois balões, os corações do menino se **ENCHIAM** de alegria e logo murchavam de tristeza. Nessa maré de sentimentos, seus corações começaram a ficar cansados.

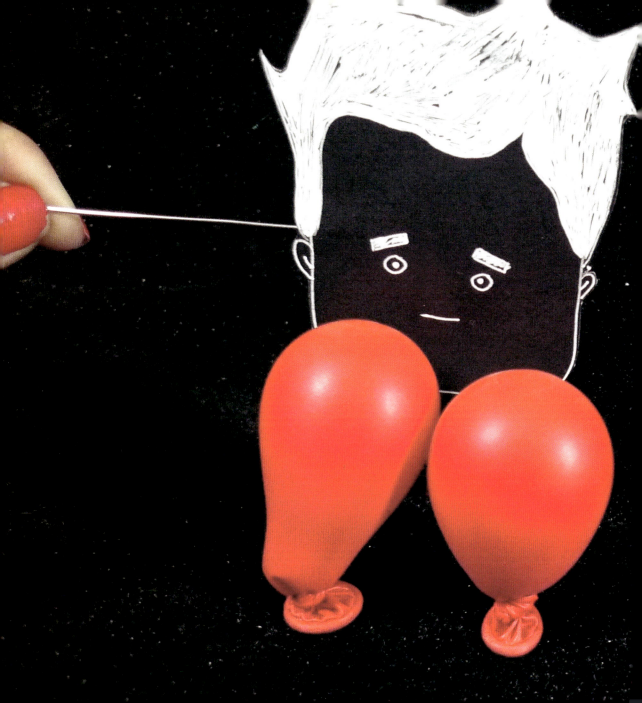

E PARECIA QUE NINGUÉM QUERIA TANTO AMOR ASSIM. NEM MESMO OS ANIMAIS. MANECO TEVE TRÊS CACHORROS, DOIS GATOS E UM PERIQUITO QUE REPETIA O DIA INTEIRO:

"SAI PRA LÁ MANÉ, SAI PRA LÁ."

SENTIR COISAS DEMAIS ERA UM GRANDE, GRANDE PROBLEMA. PORQUE MESMO DISTRIBUINDO AMOR EM ENORMES QUANTIDADES PARA O PAPAI, PARA A MAMÃE, PARA A VOVÓ, PARA OS TIOS, TIAS E ATÉ PARA OS PRIMOS MAIS DISTANTES, AINDA SOBRAVA MUITO, MUITO SENTIMENTO.

VENDO O GAROTO DE BRAÇOS
CRUZADOS AS CRIANÇAS
SE METIAM A GARGALHAR
E MANECO SENTIA COMO SE
DENTRO DO PEITO HOUVESSE
VÁRIOS CAQUINHOS DE VIDRO
QUE ESPETAVAM O PEITO.
AQUILO DOÍA COMO NUNCA.
E QUANDO UM CORAÇÃO SE
ENCHIA DE TRISTEZA,
LOGO O OUTRO, POR COMPAIXÃO,
SE ENCHIA TAMBÉM.

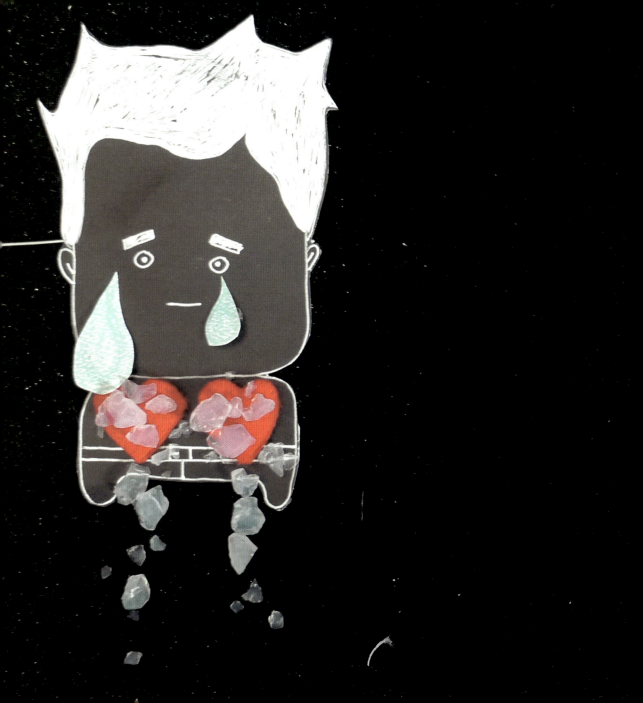

QUANDO TOCAVA
O HINO NACIONAL
NO PÁTIO DA ESCOLA,
MANECO NÃO SABIA
EM QUAL DOS
CORAÇÕES PÔR A MÃO.

POR ISSO CRUZAVA
OS BRAÇOS E COLOCAVA
UMA EM CADA UM.

NAS AULAS DE MÚSICA,
A PROFESSORA USAVA
A BATIDA DOS CORAÇÕES
PARA ENSINAR
RITMO AOS ALUNOS.

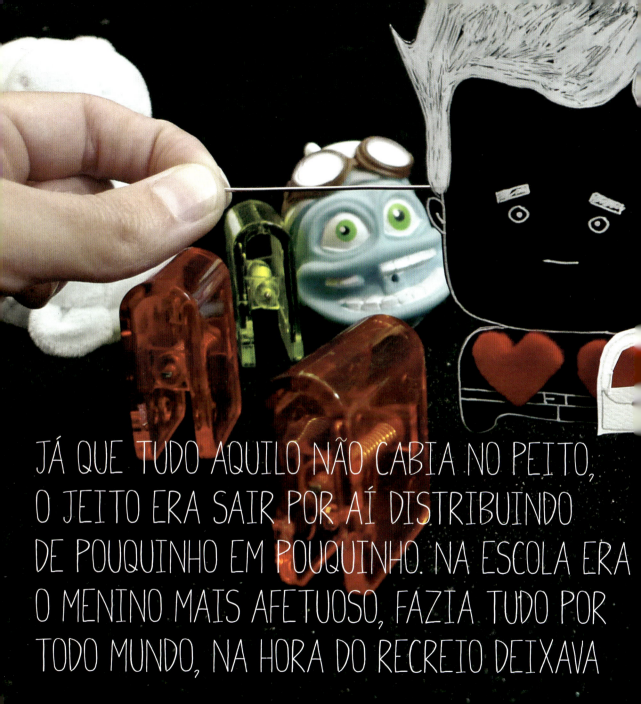

JÁ QUE TUDO AQUILO NÃO CABIA NO PEITO, O JEITO ERA SAIR POR AÍ DISTRIBUINDO DE POUQUINHO EM POUQUINHO. NA ESCOLA ERA O MENINO MAIS AFETUOSO, FAZIA TUDO POR TODO MUNDO, NA HORA DO RECREIO DEIXAVA

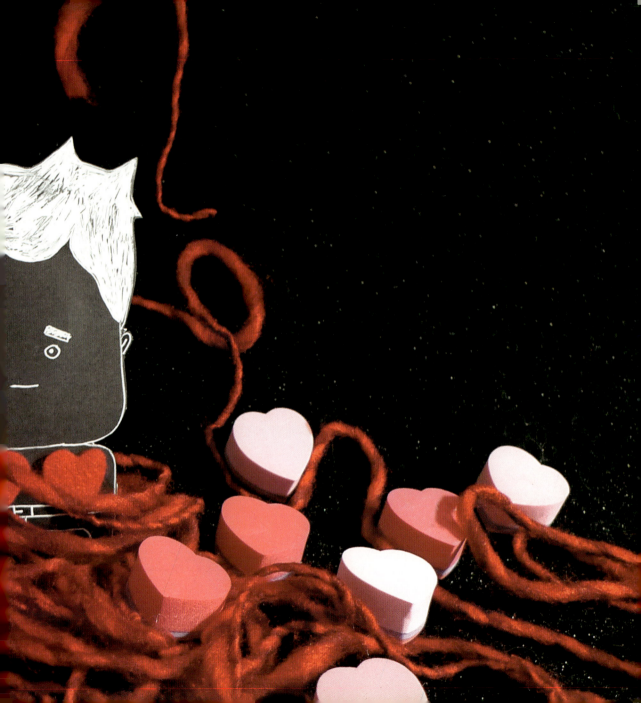

DE ONDE VINHAM OS CORAÇÕES?
ERAM ELES QUE FABRICAVAM TUDO
AQUILO QUE ELE SENTIA? O QUE FAZER
COM AQUELE MONTÃO DE AMOR,
SE AMOR NÃO SE GUARDA E NÃO SE VENDE?
MANECO COMEÇOU ENTÃO A PENSAR
O QUE FARIA COM OS DOIS CORAÇÕES.

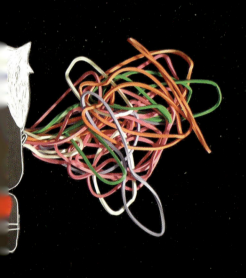

PARECIA QUE O SEU
PEITO IA EXPLODIR.
SENTIA TANTA COISA,
MAS TANTA COISA JUNTA,
QUE OS SENTIMENTOS
TRANSBORDAVAM
PELAS ORELHAS.

DIANTE DESTA DESCOBERTA, A BATUCADA AUMENTOU. SEUS DOIS CORAÇÕES DISPARARAM E O MENINO SACOLEJAVA DE UM LADO PARA O OUTRO DO BANHEIRO.

FOI NO MEIO DA CORRIDA QUE SENTIU UMA BATUCADA FORTE EM SEU PEITO. TÃO FORTE, QUE O FEZ SALTITAR QUATRO VEZES PARA FRENTE: TUM TUM, TUM TUM.

CHEGANDO EM FRENTE AO ESPELHO DO BANHEIRO, TOMOU AQUELE SUSTO: O GAROTO TINHA AGORA NÃO UM, MAS DOIS CORAÇÕES NO PEITO.

Na manhã de um dia como outro qualquer, Maneco se levantou de supetão.

Um fiapinho de sol entrava pela janela do quarto quando o garoto saltou da cama e correu para o banheiro para lavar o rosto.

PARA A VOVÓ ALICE
E
PARA O JOÃOZINHO

FERNANDA FAJARDO É DIRETORA DE ARTE E MAIS UM MONTE DE COISAS QUE MUDAM DE ACORDO COM A COR DO DIA.

ÀS VEZES ELA TIRA FOTOS, ÀS VEZES ELA COSTURA, MUITAS VEZES ELA COZINHA E NO FINAL DE TUDO AINDA IMPROVISA. ELA ESTÁ SEMPRE INDO ATRÁS DO QUE DEIXA A SUA VIDA O MAIS COLORIDA POSSÍVEL.

ANA REBER SEMPRE QUIS ABRAÇAR O MUNDO.
DE TANTO PENSAR NO QUE IA SER QUANDO
CRESCER, CRESCEU E ACABOU SE TORNANDO VÁRIAS
COISAS: ESCRITORA, ROTEIRISTA, PUBLICITÁRIA.

TRÊS MANEIRAS DIFERENTES DE DECLARAR
O SEU AMOR PELAS PALAVRAS. É COM ELAS QUE
ANA PREENCHE TODOS OS DIAS O BURAQUINHO
DO SEU CORAÇÃO.

ANA REBER & FERNANDA FAJARDO

MANECO E JOANA

GERAÇÃO
ZINHA